Andamos

Libro de lecturas

Alma Flor Ada

ILUSTRACIONES DE
Ulises Wensell

Hagamos caminos

Mc Graw Hill

MÉXICO • BUENOS AIRES • CARACAS • GUATEMALA • LISBOA • MADRID • NUEVA YORK
SAN JUAN • SANTAFÉ DE BOGOTÁ • SANTIAGO • AUCKLAND • LONDRES • MILÁN
MONTREAL • NUEVA DELHI • SAN FRANCISCO • SINGAPUR • ST. LOUIS • SIDNEY • TORONTO

Director general: Clemente Merodio López
Gerente de división: José Ashuh Monayer
Gerente editorial: Emilio Javelly Gurría
Editora: Martha Patricia Hernández Espinosa
Supervisor de producción: Juan José García Guzmán

Ilustraciones: Ulises Wensell
Portada: Ulises Wensell, Hilda Karina Guadarrama Rivas
Composición tipográfica: Hilda Karina Guadarrama Rivas, Lorena Mora Noguez

Andamos
Libro de lecturas

McGraw-Hill Interamericana

DERECHOS RESERVADOS © 2004, respecto a la primera edición por:
McGRAW-HILL INTERAMERICANA EDITORES, S.A DE C.V.
A Subsidiary of The McGraw-Hill Companies, Inc.
Cedro Núm. 512, Col. Atlampa,
Delegación Cuauhtémoc,
C.P. 06450, México, D.F.
Miembro de la Cámara Nacional de la Industria Editorial Mexicana, Reg. Núm. 736

ISBN 970-10-4298-0

1234567890

Impreso en México

09876532104

Printed in Mexico

Esta obra se terminó de imprimir
en el mes de Enero del 2004,
en Editorial Impresora Apolo, S.A. de C.V.
Centeno No. 150-6 Col. Granjas Esmeralda
México, D.F.

Contenido

Unidad I

Osita

Iguana

8

Abuelita

Uvas

Elefantes

Unidad II

Sapitos

1, 2 y 3 sapitos,
1, 2 y 3 patitos.

4, 5 y 6 sapitos,
4, 5 y 6 patitos.

7, 8 y 9 sapitos,
7, 8 y 9 patitos.

10 sapitos son,
10 patitos son.

Osos

osa   osito   oso

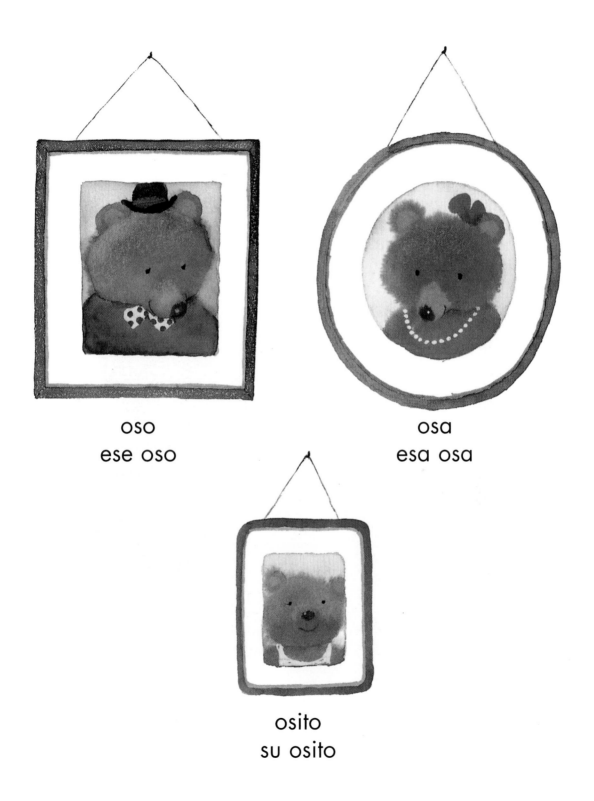

oso
ese oso

osa
esa osa

osito
su osito

pa pe pi po pu

Papá

Papá.
Papi.
Papá oso.

Papá oso y osito.
Osito y su papá.

Osa y oso

Esa osa.
Osa Pepa.

Ese oso.
Oso Pipo.

Oso Pipo y osa Pepa.
Oso, osa y osito.

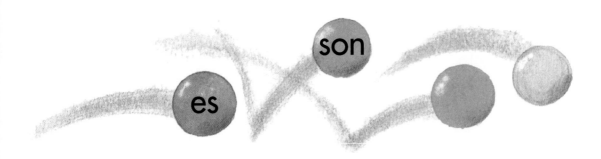

es   son

Son...

Es

Son ★ ★ ★ ★

Es

Son

Es

Son

y

Nina

na ne ni
no nu

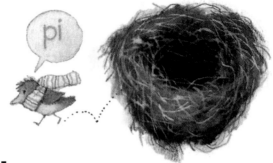

No es...

No es papa,
ni es pipa.
No es oso,
ni es osa.
Es...

¡mi nido!

Un... en un...

Un  en un

Una nena en una...

Tito

¡Tito!
¡Tito!

Es Tito.

Es Toni.

Es Nino.

38

te
ta ti tu
to

Tato, Anita y Titino

Es el pato Tato.
Es la pata Anita.
Y el patito Titino.

Tato es el tío.
Anita es la tía.
¿Y Titino?

Patitos

Es un pato.

¡Pata!
¡Pata!

¡Pata!
¡Patita!

Es un pato.

Es un pato.

Es una pata. Son 5 patitos.

10 Mimí

¡No, Mimí, no!

MIMÍ

¡Un paseo!

Pepe pesa papas.
Pesa 4 papas.

Pepe pesa pasas.

Pepe pesa tomates.
Pesa 5 tomates.

Son 5 tomates.

Pesa 2 pepinos.

Son 2 pepinos.

ma me mi mo mu

mamá osa

Mamá

Mamá.
Mami.
Mi mamá.
Amo a mi mamá.
Mi mamá me ama.

Mamá osa ama a osito.
Mamá osa mima a osito.
Osito ama a mamá osa.

Son mis manos

Son mis manos,
mis 2 manos,
mis 2 manos en la mesa.

Pepe sale

Pepe sale.

Una pesa.

Mimí pesa las papas.
Pesa las pasas.
Mimí pesa los tomates.
Pesa los pepinos.

¡No, Mimí, no!
Eso no se pesa.

la le li lo lu

Lola   Lilí   Loló   Lulú

A la loma, Lola.

A la loma, Lilí.

Lola y Lilí a la loma.

¿Y Loló?
    ¿Y Lulú?
¿Loló y Lulú?
    ¡A la lima!

El oso y la osa

El lomo y la loma,
el pelo y el palo.

La pala y la pila,
el mulo y la mula.

El oso, la osa
y su osito.

12 El nido de Dina

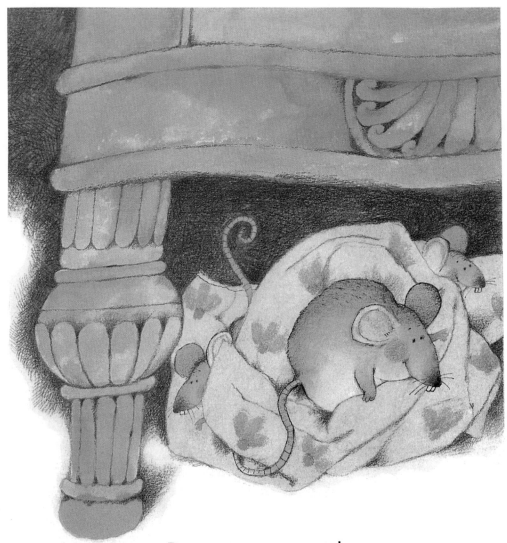

Dina tiene un nido.
Su nido es una tela.
Una tela de seda.

¡Mala, mala!
Esa tela es de Dina.
Es su nido.

¡Lana!

Es lana.
Dina no duda.

Dina usa la lana.
Así tiene un nido.
¡Un nido de lana!

es

Es...

Es el ala,
el ala de Lola.

Es el lodo,
el lodo de la loma.

Es el lomo,
el lomo de la mula.

Es el mulo.
Es la mula.
¡El mulo y la mula a la loma!

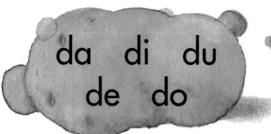

da di du
de do

Adán

Adán pidió a Lolita:
—Dame papa, Lolita.
Lolita duda.

Lolita

Adán pide a Lolita:
—Dame papa, Lolita.
Lolita da papa a Adán.
Lolita ama a Adán.
Adán ama a Lolita.

Del... al...

Del  al

del al

una ballena
sale a

Del al

del al

un

sale a

Nos damos la mano

Dame tu mano.
Toma la mía.
Todos nos damos la mano.